KB076914

본 교재는 도형을 활용하여 유아 및 아동이

쉽게 그림을 그리 수 있게 개발한 유 아동 드로잉 프로그램으로

유아의 공간 지각 능력과 창의성이 미치는 영향을 고려하여

유아동 미술 교육 현장에서 사용하려는데 목적이 있습니다.

도형을 활용한 유아 드로잉을 쉽게 학습, 응용하여

창의적 표현을 돕기 위해 개발하였습니다.

도형을 활용한 다양한 그림을 그릴때

사물을 큰 덩어리 도형으로 인식하여 그리므로

유아의 공간 지각 능력, 창의성 그리고 소근육을 발달시켜

그림에 대한 자신감과 더불어 긍정적 자아의 자존감을

향상 시키고자 출판 하게 되었습니다.

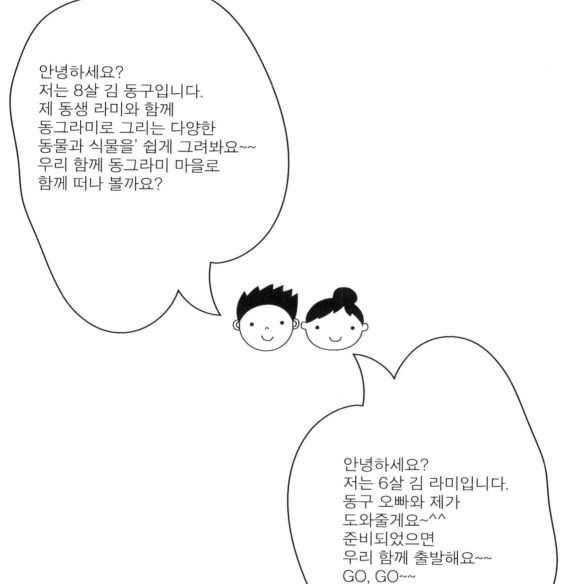

<차례>

'동구와 라미'는 동그라미 마을로 출발하려고 해요.
꼬불꼬불한 길, 뾰족뾰족한 길, 올록볼록한 길을 따라가면
동그라미 마을로 갈 수 있어요.
친구들이 동구와 라미가 길을 잃어버리지 않게
함께 따라가 주실 거죠?

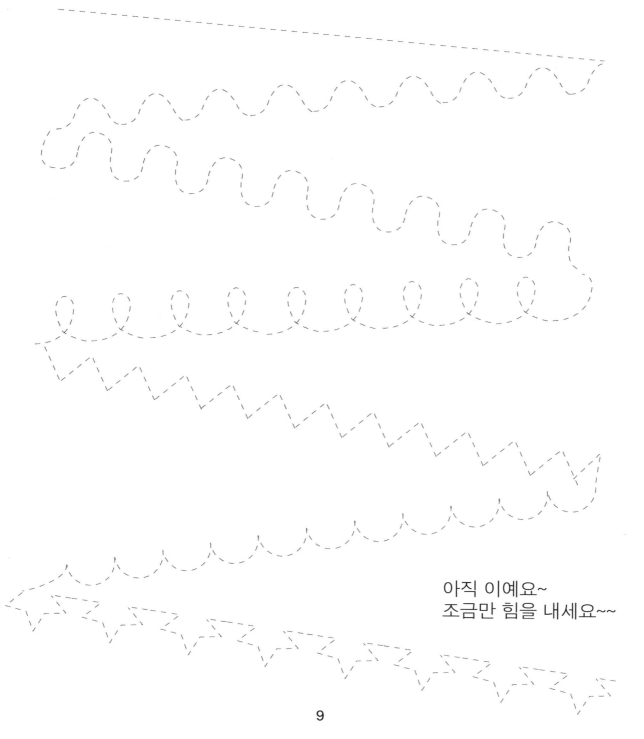

아직 이예요~
조금만 힘을 내세요~~

9

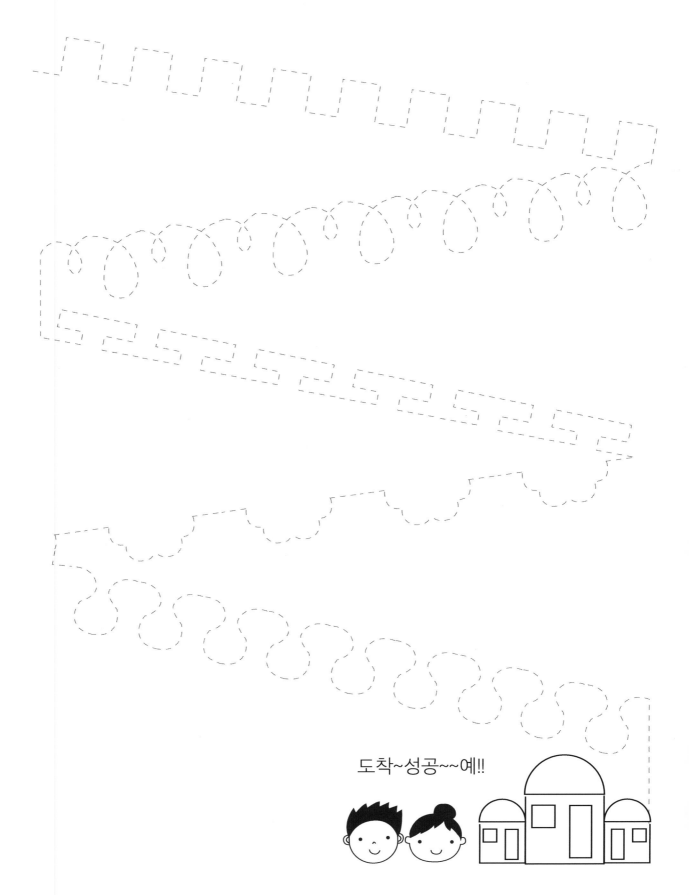

도착~성공~~예!!

곤충 마을

곤충 #1

13

곤충 #1 동그라미 크기에 맞춰 그려보세요

14

곤충 #2

곤충 #2 그리기

점선 크기에
맞춰 그려보세요

곤충 #3

곤충 #3 그리기

동그라미 크기에
맞춰 그려보세요

꽃 마을

꽃 #1

꽃 #1 그리기

동그라미 크기에
맞춰 그려보세요

꽃 #2

꽃 #2 그리기

동그라미 크기에
맞춰 그려보세요

꽃 #2

25

꽃 #3 그리기

동그라미 크기에 맞춰 그려보세요

꽃 #4

꽃 #4 그리기
동그라미 크기에
맞춰 그려보세요

꽃 #5

꽃 #5 그리기

점선 크기에
맞춰 그려보세요

꽃 #6

꽃 #6 그리기

점선 크기에
맞춰 그려보세요

여름 마을

여름 그림 #1

여름 그림#1 그리기

동그라미 크기에
맞춰 그려보세요

여름 그림#2

여름 그림#2 그리기

점선 크기에
맞춰 그려보세요

소라

소라그리기

가을 마을

가을그림#1

가을그림#1 그리기 점선 크기에 맞춰 그려보세요

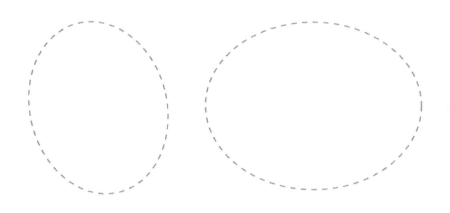

가을그림#2 그리기 점선 크기에 맞춰 그려보세요

44

가을그림#3 그리기 점선 크기에 맞춰 그려보세요

46

가을그림#4 그리기 점선 크기에
맞춰 그려보세요

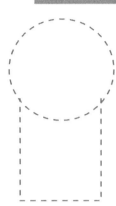

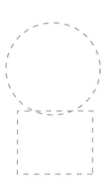

가을그림#5

가을그림#5 그리기 점선 크기에 맞춰 그려보세요

겨울 마을

겨울그림#1 그리기 점선 크기에
맞춰 그려보세요

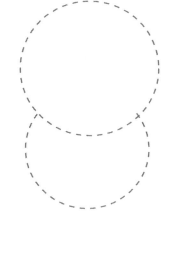

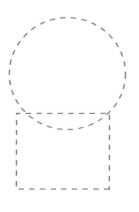

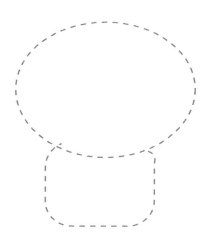

겨울그림#2 그리기 점선 크기에 맞춰 그려보세요

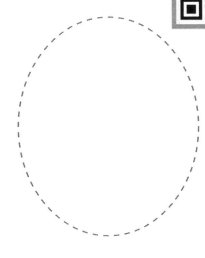

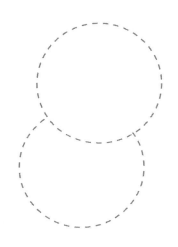

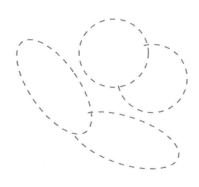

겨울그림#3그리기

점선 크기에
맞춰 그려보세요

겨울그림#3그리기 점선 크기에
맞춰 그려보세요

동물 마을

동물그림#1

동물그림#1 그리기 점선 크기에 맞춰 그려보세요

동물그림#2

동물#2 그리기

점선 크기에
맞춰 그려보세요

동물 #3

동물#3 그리기

점선 크기에
맞춰 그려보세요

동물 #4

동물 #4 그리기 점선 크기에 맞춰 그려보세요

동물 #5

72

동물 #5 그리기 점선 크기에 맞춰 그려보세요

강아지

강아지 그리기 점선 크기에 맞춰 그려보세요

공룡#1
플레시오 사우루스 그리기

큰 덩어리인 머리와 몸통을
그리고 목을연결하고
꼬리를그려보세요.

공룡#1
티라노 사우루스 그리기

큰 덩어리인 머리와 몸통을
그리고 목을연결하고
꼬리를그려보세요.

공룡 #3
안킬로사우루스 그리기

큰 덩어리인 머리와 몸통을
그리고 목을연결하고
꼬리를그려보세요.

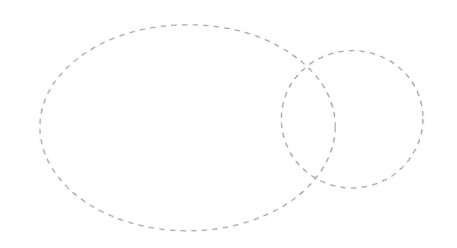

공룡 #4
파라사우롤로푸스 그리기

큰 덩어리인 머리와 몸통을
그리고 목을연결하고
꼬리를그려보세요.

공룡 #5
스피노사우루스 그리기

큰 덩어리인 머리와 몸통을
그리고 목을연결하고
꼬리를그려보세요.

공룡 #6
스테고사우루스 그리기

큰 덩어리인 머리와 몸통을
그리고 목을연결하고
꼬리를그려보세요.

공룡 #7
브라키오사우루스 그리기

큰 덩어리인 머리와 몸통을
그리고 목을연결하고
꼬리를그려보세요.

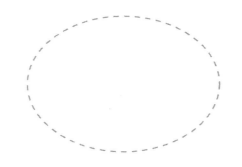

음식 마을

동그란 과자

동그란 과자 그리기 점선 크기에 맞춰 그려보세요

간식 그림

간식 그림 그리기 점선 크기에 맞춰 그려보세요

탈것 마을

탈것 #1

탈것 #1 그리기 점선 크기에
맞춰 그려보세요

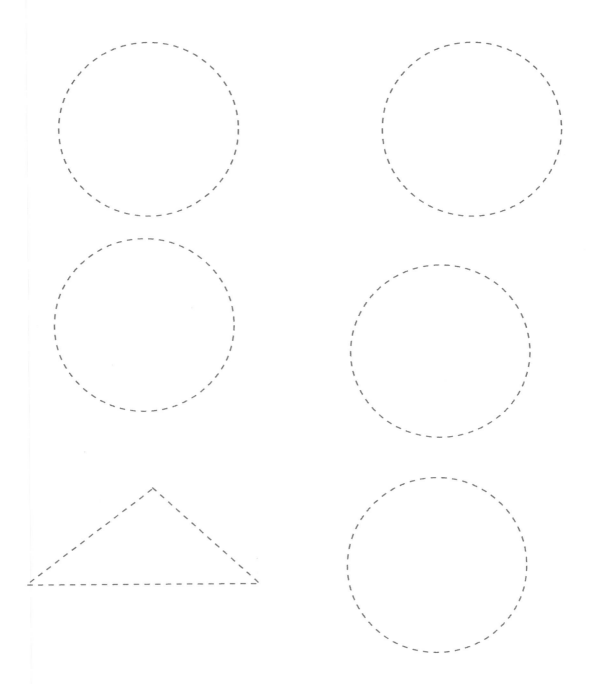

탈것 #2

탈것 #2 그리기 점선 크기에 맞춰 그려보세요

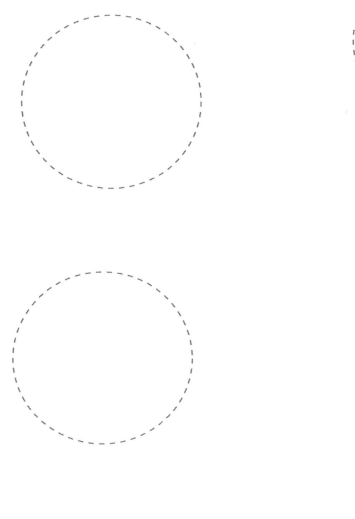

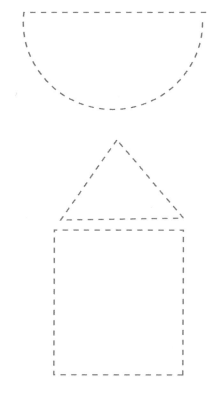

과일 마을

과일 그리기 #1 점선 크기에 맞춰 그려보세요

과일 그리기 #2 점선 크기에
맞춰 그려보세요

과일 그리기 #3

점선 크기에
맞춰 그려보세요

야채 마을

야채 그리기 #1

야채 그리기 #2

 점선 크기에
맞춰 그려보세요

111

야채 그리기 #3

114

동그라미 그림사전

발 행 | 2024년 1월 29일
저 자 | 장선애
펴낸이 | 한건희
펴낸곳 | 주식회사 부크크
출판사등록 | 2014.07.15.(제2014-16호)
주 소 | 서울특별시 금천구 가산디지털1로 119 SK트윈타워 A동 305호
전 화 | 1670-8316
이메일 | info@bookk.co.kr

ISBN | 979-11-410-6571-3

www.bookk.co.kr